컵밥 3000 오디세이아

컵밥 3000 오디세이아

최영효 시조집

작가

10년 후

– 나의 어린 신부에게 –

빈 땅에 대추나무 두 그루를 심는다
해마다 밑동이 굵어 이마가 맞닿을 때면
첫사랑,
내 살을 뚫고 눈부셔 마주칠 꽃눈

내가 니 신랑이 되고
니가 내 각시가 되어
우리는 해가 갈수록 허물이 쌓일수록
나를 니 지아비라 하고 니는 내 지어미라 살리

손과 발 시린 내력은 땅속에 꽁꽁 묻어라
다시는 눈뜨지 않게, 썩어서 거름이 되게
먼 내일 우리가 살아
폭풍이 되고 천둥이 되리

| 제3부 |

사랑과 용서의 살로 고명을 넣어주세요

| 제 5 부 |

청춘엔 깨지고 터질 실패의 자유가 있다

제 1 부

함경도 싸그랑비는 올동말동 못 오네요

가랑비동동

경상도 갈강비는 시숙 속곳만 적시고요

전라도 싸락비는 각설이 품바 떨거지고요

강원도 가스랑비는 감자 불알만 키우네요

제주도 줌뱅이비는 닐모리동동 애긋고요

충청도 이시랭이는 무심천만 헛딛는데요

함경도 싸그랑비는 올동말동 못 오네요

유산

질기고 그악스레 안 죽고 와 사는지
엄지와 검지를 모아 기어이 목을 비틀며
질경이 뽑을 때마다 어머닌 울화가 섰다

그런 날 아버지는 또 돌아오지 않았고
텃밭에 땅빈대만 목이 꺾여 죽었다
애비만 닮지 말아라, 씨도둑은 안 했담서도

자갈밭 음지에서 모질게 잘도 크는
쇠뜨기 뽑던 힘으로 어머니는 살았다
그기 다 냄편 덕이제
살대 삼아 살았응께

정신과 독고 선생의 고독씨 진료기록부

나뭇잎 떨어져 울던 늦가을 오후였다
정신과 독고 선생이 고독씨를 진찰한 결과
병이면 천형이어서 해독엔 독약뿐이다
색황도 모르면서 사람을 그리는 증세
원인을 알 수 없으나 돌림성이 모질어서
한밤 중 최고장 들고 몰아치는 가슴 속 눈발
아끼고 놓친 말들이 피멍으로 숨어들면
잔술이 되술 마시다 끝내는 주술에 걸려
사람을 떠나보낸 뒤 후생을 앓고 있구나
제 살을 파먹고 사는 염치없는 이 병고들아
만년의 양식도 없이 맞서거나 싸우지 마라
누천 년 내성을 길러 항체도 의사도 없다
단결에 그의 몸에서 청진기를 떼는 순간
고독씨 포자 하나가 독고씨로 전이되었다
사람은 가고 없어도 사랑은 홀로 남는 병

미산령

미산령 넘어가다
도라지꽃 꺾어들고

여기서 살아볼꺼나
죽어서 너와 살꺼나

미산령
바람결 세며
너를 기다릴꺼나

너와 함께 살자하던
함께 너와 죽자하던

다 삭은 철모 하나
다 이운 달빛 한 결

미산령
다시 오르며
너와 죽고 너와 살자던

파도처럼

누구나 파란만장하지
누구나 우여곡절이 있지

당기고
붙들지 못해
언제나 출렁이는 우리

오늘도 우여곡절이 있지
내일 또 파란만장하지

나의 이름은 자유

늦은 봄 해 중천에 산꿩 한 쌍 눈이 맞아 하필
이면 억새밭에 허리띠를 풀었는데

쌍놈들, 벌건 대낮에 요분질을 놀고 갔나

이튿날 새벽부터 미산령 심심골을 장서방 찾는
까투리가 원통절통 놓는 소리

니는 내 퍼스트라고, 내가 니 라스트야

내 인생 단 한번도 일등은 못 해봐도 너와 나
짧은 연줄 퍼스트는 정말 싫어

이야호 나 잡아봐라 산 넘어간다 이야이야호

福자 밥그릇

아버지 남겨주신 밥그릇이 셋이네요
복 받아라 복 받아라 복덩이야 복 받아라
세상엔 내림복보다 내 복이 최고라네요

배꼽이 꺼져있네요 큰 놈에 밥 한 숟갈
눈 움퍽 배 홀쭉 막내에게 또 한 숟갈
울 엄마 빈 밥그릇에 福자만 남아있네요

못 먹고 다 먹은 듯 빈 밥그릇 내리시며
침 꼴깍 넘는 소리 귀 막아도 들리네요
울 엄마 찬물 한 그릇 福자가 웃고 있네요

숨비기새

"물질은 무사 허멍
소라 전복 따서 머우꽝"
옴팡밭에 묻힌 님 뼈와 살 발라놓고
울대도 부리도 없이 정수리로 내뱉는 울음

지슬이나 심어 살지 지슬이나 파먹다 죽지
죽은 자는 죄인이고 산 자는 죄값에 묶여
물 깊은 허공에 닿는 숨비소리 새가 난다

하늘에 날 수 없는, 땅에도 앉지 못할
그 살피 어디쯤에 소리로만 울어 살며
한 번도 날지 못한 새
잊지 말자 우는 새

그때가 지금입니까

문약한 혀끝으로 내 땅을 지킬 수 없어
600년 느티나무에 달 하나 걸었습니다
자굴산 머루 다래로 살다 가랴 했습니다만

관군은 패퇴하고 임금조차 도망을 가니
풀잎도 덜덜 떨다 끝내는 몸서리치는
알다가 모를 일 하나
임진년 이 봄입니다

한 세상 가슴에 품은 이 사랑 뜨거운 밤
하늘이 내리는 뜻을 낱낱이 받아쓰다
마흔 살 겁 없는 사내 말안장에 오릅니다

아무리 큰 북도 스스로는 울 수 없어
한 손에 북채 들고 또 한 손 죽창을 드니
스승님,
나아가야 할,
지금 그때가 왔습니다

연길에서 먹는 냉면 한 그릇

남의 땅 낯선 식당에서 먹는 물냉면 한 그릇
백두산 두만강을 보긴 봐도 안 보고 와서
홧김에 서방질 하듯 먹다만 눈물 한 그릇

백두산 찾아갔다 장백산 화냥질 본다
두만강 물어물어 도문강 뗏목에 올라
다시는 가지 않으리, 헛맹세에 목놓아 울며

"중국 조선족 윤동주 시인 생가" 앞에서
이빠진 역사도 잊고 화냥화냥 사진만 박아
지랄병 염병만 떨다 미처 못 넘긴 냉면 한 그릇

복 권

그래 니 우짤라카노 꿍꿍이는 챙겨났나
밑천이 깡통인데 무슨 보짱이 있겠노
사내가 좆심이 서야 배밀이라도 해볼낀데
노가다 공사판에 뚜쟁이만 살판 났는데
노름판 끗발도 손아금이 땡겨야 서제
오천원 복권 한 장에 뒤집기는 말짱 글렀어
목구멍은 포도청인데 줄이 있나 빽이 있나
눈 깔고 째려본다고 세상이 뒤집히겠냐만
실직도 한 삼년이모 해넘이로 가겠제
니 말이 내 말이고 내 말도 그 말인기
팔불출 농사라도 이모작은 해야 될낀데
세상이 와이리 춥고 하늘은 요다지 낮노

수레바퀴 2017

토요일 해질 무렵 수레가 굴러온다
시간이 멈추었다 두 바퀴도 멈추었다
어제를 청산하자고, 오늘을 뿌리뽑자고

대한과 민국이 엇박자로 굴러간다
시청과 광화문에서 애비 자식 따로 간다
하나가 둘로 나뉘어 오도가도 못한다

문제는 거시기라고 머시기를 석방하라고
해체하라 청산하라, 거칠고 가파른 파도
뿌리가 썩을 것인지 기둥을 쳐낼 것인지

인생학 서론

중학교 1학년 때 생물 담당 박선생님은
사과는 비타민C의 보고라고 말하시며
칠판에 "C"를 써놓고 분필로 탕탕 치셨다

그런데 이놈들아,
사과를 어떻게 먹냐
껍질도 깎지 말고 소매 끝에 쓱쓱 비벼
앞니로 아작 깨물어야 단맛이 솟는 거야

이빨 자국 성성한 채로 내 한 입 친구 한 입
꿀보다 더 달고 티 없이 순정한 그 맛
눈 맞춰 나눠먹어야 그게 친구야, 알것냐

사량도는 사랑도다

사량도 사람들의 사량도는 사랑도다
썰물이 밀물 되고 밀물이 썰물이 되는
떠나서 다시 못 가 내 사랑 사량도다

사랑을 떠나서는 누구나 섬이 되고
사량도 돌아가면 다시 출렁 사랑이 되는
가다가 되돌아서는 내 사랑도 사량도다

누구나 마음 한 켠 사량도를 두고 산다
사량도 가고 싶다는 먼 사람 사량도 여기
이 세상 모든 사람의 사량도는 사랑도다

구례 사람 하정수

산수박이 왔어라, 싸고 헐코 맛나부러
손가락 둥글게 말아 확성기가 터지자
쌍팔년 곡마단 온 듯 장바닥이 후끈하다
잘 익은 수박 한 놈 주먹으로 빠개놓고
내 인생 반백년에 거짓말은 구촌 형인께
그냥요 맛보시라요 돈 안 받는 외상이지라
요것이 그 머시기 요새 친박이 아니라요
처자식 먹여 살린 스무 해 효박이지라
둘째 놈 등록금도 이 돈 사서 만들었응께
앗따, 그 무슨 수박이 사람을 홀린다요
집채만큼 쌓인 것이 불티가 나불참인디
사람이 양순해분께 수박도 달고 맛나지라요

쥐 덫

간밤에 내가 엮었다
작은 멸치 몇 마리에

이것은 인간의 간계 계획된 유도 살생 오소리 밤고양이 망
나니 건달놈들 등쳐먹고 회쳐먹는 진흙탕 세상에도 뇌물 횡
령 배임 수뢰 그런 씨알은 안 먹었는데 하필이면 헛디딘 발
에 명줄이 죄어들다니, 작은 눈 짧은 오다리 겁먹은 콩닥가슴
에 어둠을 헤맬 때도 잰걸음 자로 재고 한 걸음 나아갈 땐
열 걸음 물러섰다 내 본래 잡식성이나 갑질은 넘보지 않고
양곡창고 손 턴지 오래, 낮보다 밤을 가려 남의 말 물지 않고
작은 것만 취한 죄에 목숨을 앗기다니

복사꽃 불륜 아래선 재채기도 안했는데

방아깨비

방아깨비 방아깨비야
네 춤을 멈추지 마라

한 순간 잃어버린 그 꿈을 잊지 마라

질더쿵, 춤을 추어라
새 다리 돋을 때까지

연자매 물레방아
한여름 멈추지 않고

절구 하나 절구통 하나 찧어야 멥쌀이다

멈추면
장가 못 갈라
덩더꿍 상사디야

쌍것들

봄 오면 맨 먼저 밭둑에 눈뜨는 것들
쇠비름 쑥부쟁이 성은 없고 이름만 있는
순하고 여린 것들이 모질고 독한 것들이

모가지를 당기면 뿌리째 뽑히는 것들
뿌리째 내어주고 울음조차 삼키는 것들
씨 한 톨 얻지 못해도 기어코 웃는 것들이

한뎃잠 배고프던 돌쇠나 김아무개도
그때 그 죽은 것들 죽은 듯이 산 것들이
피붙이 살붙이끼리 뿌리가 명줄이라고

제2부

합부로 말아먹지 마라 국밥은 인생이다

깡통에 관한 명상

수레가 목을 비틀며 뒤꿈치로 밟고 갔다
발길에 채였을 땐 오기가 발끈 솟아도
허리를 낮추지 않고 무릎도 꿇지 않았다
단전에 힘 모으면 뱃심도 두둑해져
이승이 낫다는 말 참 좋아 믿기로 했다
맞아도 웃을 수 있다 그런 너의 발밑이라면
내가 널 짓밟을 때 그 통증을 몰랐지만
네가 날 걷어찰 땐 난 뜨겁게 울었다
되도록 멀리 차다오 너의 그 슬픔과 함께
썩을 놈 빌어먹을 놈 마음껏 욕해다오
너 대신 비굴하게 엎드려 빌어주마
상처는 흉이 아니라 살아갈 계급장이다

다도해

어젯밤 부도 처리된 단조공장 오부장

오늘 새로 태어난 섬 이름을 외워본다

슬퍼도 기가 막혀도 도망갈 뭍도 없이

앉아도 일어서도 울어도 눈물나도

웃으며 살아서도 하도 서러 죽어서도

돌아갈 길이 없어도 다시와 부딪는 파도

달팽이

쉬는 것이 아니라 쉼 없이 가고 있다

환승역 찾지 못해 오던 길 다시 간다

다시는 울지 말자며 옥봉동 비탈길을

후회하지 않기 위해 흔적을 지우면서

먼 길도 첫걸음으로 어젯길 오늘 또 간다

죄 없는 가난을 지고 몸으로 몸으로 간다

가자미식해

  윤기 없는 장작같이 몰인정한 장모라도 처갓집
갈 때면 목젖이 먼저 안다
  침샘이 흥건히 젖는 뜨거운 가자미식해가 있어

  적기 뱃머리 위 고성상회 부잣집에 가난한 사
위가 인사도 뒷전에 두고
  어머님, 잘 익었습니까, 식해 문안을 여쭙고

  사과 배 매조밥에 생강 마늘 양념 범벅을 장모
님 으뜸 손맛이 가자미뼈를 삭힐 때면
  아내의 못난 얼굴쯤 식해로 용서한다

  본디 난 소식가지만 얼큰 담백 흐벅진 맛에 에
라이 모르겠다 허리띠 풀고 달려든 밥상
  처갓집 탐한 적 없으니 식해로 눈총 받으랴

  본적이 북녘인데 피난민 보양식을 창자만 발라
내고 몸으로 삭이는 슬픔
  애간장 설운 눈물을 뼈 안 삭고 견딜 수 있나

길

오래 산 사람은 안다
멀리 걸어온
사람만 안다

곁눈을 갖지 말아라
앞눈 하나만 가져라

뒤돌아
걷지 말아라
네 발길이 이정표다

생쥐에 관한 사회학적 고찰

탄생을 논하자면 인간보다 먼저지만
지구는 힘센 자의 전유물 아니겠어요
승자엔 원칙이 없는 무정란의 진리가 있죠
손버릇 나쁜 것은 물려받은 호구책으로
이래도 씨보가 있는 먼 유민의 후예랍니다
계보나 조직도 없는 좀팽이로 살렵니다
잘 벌어 남 주는 거 아깝다 생각마세요
상생의 첫걸음이 더불어 사는 세상인데
작아도 나눠먹는 게 본보기가 아니겠어요
우리가 쓰러지길 기다리는 우생학의
압니다, 건강한 사회 건설의 거세작전을
한평생 빌어먹어라 훔쳐먹어라 그 속뜻까지도

해남

　땅끝 앞 돌섬 위에 저 소나무 꼴갑 좀 보소
뒤틀려 휘어져서 어딜 보고 있는감요 지금 니
거기 선채로 날 기다리고 있었구마이

　그냥 칵 죽으면 될 걸 죽지 못해 살고 있지
라 이 뺨 저 뺨 오지게 맞고 막판에 울러 왔지
라 사는게 끝은 있어도 이유는 없는 게비여

　끗발이 죽었분디 뭔 일이 됐겄소만 잘못 만
난 때는 있어도 잘못 태어난 사람 없지라 여
그가 땅끝이라도 시작은 인자부터요

소주와 마주 앉아

너하고 마주 앉으면 내 언제나 두사람이다
마시고 싶은 사람과 안 마셔야 될 사람이
주거니 받거니 하며 잔 하나로 비우는 밤은

새날이 올 것 같아 첫 잔을 높이 들고
잘못 든 길인 것 같아 또 한 잔을 채우면
내가 산 오늘이 가고 네가 살 내일이 온다

너라고 바람 불고 비 오는 날 없었겠느냐
독배로 맹독을 씻을 술 한 잔 권하고 싶다
날마다 셋이 하나로 역모를 꿈꾸는 밤의

곰탕

늑골과 늑골 사이
불황의 늪을 헤쳐

꼭뒤의
심혈을 모아
뼈까지 속속들이로

연골이 흐물하도록
오뉴월 폭염을 안친다

쇄골의 골짜기 안쪽
구급용 링거를 꽂고

결딴 난 마디마디에 뼈와 살을 발라도

어금니 빠지고 나서
깨물어 봤자, 그래봤자

하모하모

내 나이 올해 아홉, 홀아홉 말고 구십인데
오른쪽 허리 골짝에 바람이 들어 왔제
여게가 유의태처럼 소문난 그집인가 몰라
할무이, 맞고말고예 명의라고 불이 났심더
오데가 안 좋은지 말씀만 하시이소
내사 마 당뇨도 없이 엎어져 물팍을 깼제
우짜다 그랬노카모 읍내장에 갔다 오다가
무다이 헛디디가 땅하고 한판 했는데
졸지에 까무라쳐서 숟가락 놓을뿐했제
그렁께 무릎 어데가 우찌우찌 편찮니껴
내 올해 아홉이라카제 그렇다고 치매가 있나
밤마다 찌근덕하이 달빛이 들어와 살제
할무이요, 그만 좀 하소 내 번호표 해저뭅니더
자초지종 설명을 해야 온김에 고쳐서 가제
칠십된 우리 아들이 효잔께 데려왔는데
내 아까 당뇨 없다고 너그한테 말 하더나
귀도 잘 들리고 손발도 성하다마는
울 영감 밥상 채릴라모 앉고 서야제, 하모하모

효봉

세상엔 근심이 많아 입씨름이 방창하다
한 사람의 우환이 한 개의 별이라면
수십억 지구의 별이 낮밤 없이 왜자하다

친절한 금자씨도 너나 잘 하세요. 라고
고분하지 못한 세상 사분사분 가르쳤지만
그 말씀 씨앗 한 톨은 효봉이 싹틔웠다

한 때는 엿장수로 그 전엔 법관으로
세상을 꾸짖다가 부질없이 떠돌다가
구름만 바라보다가 구름이 되신 스님

남의 탓 하지 말라고 무던히 나무라도
지구 위 별떨기만 나날이 늘어나는데
세상 일 너나 잘해라, 목탁소리 떡메소리

내 말이나 니 말이나

그래 니 우짤라카노 꿍꿍이는 챙겨놨나
밑천이 깡통인데 무슨 보짱이 있겠노
사내가 좆심이 서야 배밀이라도 해볼낀데
노름판 끗발도 손아귀 땡겨야 서고
노가다 공사판도 뚜쟁이만 살판났는데
오천 원 복권 한 장에 뒤집기는 말짱 도루묵이여
목구멍은 포도청인데 줄이 있나 빽이 있나
치뜨고 째려본다고 세상이 뒤집히것나
실직도 한 삼 년이모 해 넘어갈 때 됐는데
니 말이 그 말이고 내 말도 그 말 아이가
팔불출 농사라도 이모작은 해야 될낀데
알짬은 바로 그 말잉께, 병목이나 비틀어봐

질경이

파지로 명줄 잇던 조복례 할머니가
예순에 여덟부터는 나이도 잊었지만
질긴 게 목숨이라며 서리 밟는 새벽길
이 땅에 빚 없으면 하늘에 죄 있으랴만
나이란 먹을수록 서푼 보증도 못되어
한 달을 눕힌 월세가 요통보다 무겁다
엎어야지, 엎어야지, 이놈 생을 엎어야지
천 번을 벼르고도 손자 녀석 눈에 밟혀
애간장 평생 이랑을 갈아엎지 못한다
눈뜨면 북망산도 감으면 꽃길인데
한 수레 파지값이 단돈 만원을 밑돌아도
관절염 요통도 없는 금수레 오늘을 간다

땡볕

　고추와 가지가 너나두리 난타전 끝에 거시기도
쬐끄만게 말발만 독이 올라
　어른 애 분별없다고 가지가 일갈을 놓자

　거시기만 길어봤자 헛물만 켜는 놈이 내년에 자
식농사 하나마나 실농이라며
　때깔에 땟물이 나야 매운 놈 밑에 진땀난다고

　쓴맛을 먼저 봐야 단맛을 안다지만 자빠져 일어
서는 덴 독기가 한몫인데
　바로 그 독기라는 게 매운맛이야, 알고나 살아

소나기

청파다방 길마담은 폭염에도 발품을 판다
배달 커피 석 잔이 몇 놈 몫이 될런지
불볕에 동네 한 바퀴 십리보다 더 먼데
육십령 넘은 여자 오봉 하나 밑천 삼아
철공소 고추상회 피서 못 간 사장님네
갈 곳이 어디 있냐며 위문공연 하러 간다
티켓을 사고 팔기엔 낮달이 너무 밝아
엷은 티만 입고 간다 윗단추도 풀고 간다
잘 익은 복숭아 두 낱 쫄바지 흔들고 간다
오늘 놀고 내일 쉬는 백수 건달 낚시 가고
실직한 이삼 년차들 삼겹살 물놀이 가도
오빠야, 맞장구치며 허벅지 걷는 무심경으로

혈맹 관계

다 아는 이야기지만 불륜일수록 사랑은 더 붉다

오대양 육대주에 끼리끼리가 아니라 사랑엔 국경이 없고 섹스엔 안방이 없고 눈 맞아 가슴 맞대면 체위엔 아래 위도 없다 다 아는 이야기지만, 사랑엔 연대가 없고 나이나 치수 같은 거 홀랑 벗어 던지면 너와 나 우리는 모두 뜨거운 혈맹이다 나비는 날아가면서 잠자리는 공중돌기로 똥개는 동네 한복판에서 사랑의 이름 하 나면 밤낮이 소용이랴 다 아는 이야기지만, 아무개는 권력이 없고 누구개는 재산이 없다고 날마다 동네방네 참새가 쨋쨋거려도 다 아는 세상 이야기를 그들만 정작 모르는데

불륜은 혈맹을 맺는 첫 번째 행위예술이다.

국밥

샛별이 밤을 물려
여명을 먹일 때 쯤
어제의 닳은 신발이 오늘을 조이고 있다
절망이
이불을 걷고 희망을 깨우는 아침

벽돌을 져나르고
철근을 다시 조이며
생무지 초짜에서 반장까지 서른 해
봇짐은 싸지 못했다, 죽음보다 무서운 생계

장마는 계속되고 삽자루 망치도 가고
함바집 바람벽에 주련처럼 시린 한 줄
함부로 말아먹지 마라

국밥은 인생이다

제 3부

사랑과 용서의 살로 고명을 넣어주세요

한라산

어디서 눈을 들어도 구름 속 저기 서 있다

오름이 오름을 받쳐 하늘 하나 보듬고 산다

딱 한 번 말을 뱉고는 입을 다문 저 사내

아버지 돌팔매 맞고 가신지 하마 내 나이

휴화산 이름 하나로 참고 또 기다린다만

모슬포 돌개바람에 실눈 뜨는 4·3 적 동백

구름의 높이에서 먼 북쪽 멧부리를 보라

살아 온 시간의 멍에 누군들 기적 아니랴

가슴 속 불을 내리면 아플 일 하나도 없다

꽃과 새 또는 해어화(解語花)

하룻밤 허리띠에 300가마 쌀을 산다던
사발가 명창 김옥엽도
사랑에는 가슴이 타서
연기도 김도 안 나는* 김동인과 베개를 베고

춘하추동 이 강산에
학선 진홍만 꽃이었으랴
구슬 옥 구슬 주 자에 옥심이 은주도 있고
봄봄이 하도나 길어
유정은 또 녹주에 울고

목 길면 학이고 눈 감으면 홍매화 세상
난초 지초 작약 영산홍 군자를 다 홀려도
저 모란 앉으나 서나
내 발목만 붙잡는다

*사발가의 한 대목

오늘도 임순씨는

아흔 둘 임순씨가 콩밭에 경 읽으러 간다
ㄱ 자는 못 배워도 속심은 서로 깊어
수수가 하늘 천 하면 고추는 따따지 한다
살붙이 피붙이들 제 길 찾아 떠난 뒤
빈집에 홀로 남아 혼잣말 몸종이 되면
땅빈대 무당벌레가 정붙이로 살자는데
어디 같이 살아보자고 쥐눈이콩 심는 날
그 속을 지레 짚어 풀국새 벌써 울고
운 자리 그늘이 들까 찔레꽃 화농이 붉다
깃 떠난 자식들이 둥지 맘을 헤아리랴만
사람이 외로워봐야 밑바닥이 터지는 걸
콩꽃이 꼬투리 달면 알까 몰라, 또 모른들

산 죄가 살아갈 죄에게

사는 죄 그 위에는 살아온 죄가 있다
이렇게 땅이 넓고 하늘 또 높고 푸른데
사는 걸 잘못 살아서 오늘도 죽은 듯이
눈 감고 별을 센 죄 죽다가 살아난 죄
꿈꾼 죄 그리워 한 죄 살면서 실패한 죄
사랑한 그 죄 밖에는 더 할 죄 또 있을까
밥값을 못했는데 이름값 구한 적 있고
얼굴값 자릿값 찾아 꼴값 떤 죄가 있어
내 청춘 춘풍낙엽에 일모작 농사 서릿발 친다
나무에 옹이진 것 함부로 탓하지 마라
내 한생 이별도 많아 생채기 난 꽃이다
아직도 살아갈 죄가 시퍼렇게 눈을 뜬다

길고양이

어둠의 뒷골목에 길고양이가 다가온다
11위 경제대국의 영광만 곱씹다가
굶어 본 자들은 안다, 숫자의 불평등을

핵보다 더 무서운 비폭력 이 허기 끝
한 조각 빵을 위해 배꼽 밑에 절을 한다
눈 뜨면 휴화산이나 감으면 활화산이다

한밤중 쓰레기통 앞 마지막 본 그 여인
허기를 끌어안은 채 허탕 짚고 돌아설 때
눈시울 붉던 별 하나 성호를 긋고 내린다

동양장 여관

동양장 203호에 이씨 김씨 함께 잔다
반반씩 나눈 월세에 소주잔 부딪치며
통성명 서로 나눠도 과거는 묻지 않는다

이형은 언제 뜰겨?
손 놀면 가야겠제……
자슥도 마누라도 눈 까매 기다릴텐디
목젖에 걸린 능청을 눈시울이 먼저 안다

댓잎은 겨울에도 얼어 죽지 않는디 말여
씨부럴 니미럴같이 내 인생 와이리 떫노
당신은 인자 알았소
그거 알모 저승길이라요

새

저 나무 위의 새가 둥지를 틀지 못한다

저 나무 아래의 새도 알을 품지 못한다

날개가 너무 작아서 하늘을 날 수 없는 새

하늘이 너무 높아 날아보지 못한 새들

땅 위의 새 한 마라 적금통장을 깨고 있다

숨겨 둔 마지막 카드 일수를 찍고 있다

기상예보

시간당 100밀리의 그리움이 들이치면요

그 다음 200밀리의 기다림이 몰아치지요

헛된 꿈

난파선 같은

외로움의 산사태까지

우화

아부지,
저 보름달 우리 끼 틀림없제요
할부지의 할부지 적 웃대부터 내려왔응께
오천 년 더 됐을끼다, 근데 와 물어보노

전번에 마실 갔을 때 그 동네 형이 카는데
해와 달 별까지도 저그 끼라 카면서
세상이 저들 아이모 암흑천지 된다카데요

그 동네 갔다 올 때 누가 니 따라 오더노
그래 니 말도 몬했나, 확 델꼬 왔분다카제
우물 안 개구리 놈들,
세상 넓은 줄 모르는 것들

간장게장

먼 바다 갯마을에서 사랑 찾아 왔구나

품었구나

안겼구나

길고 긴 맹세였구나

한 입에

다 뺏겼구나

울었구나, 짜구나

무과화 사랑

올 놈은 어딜 가고 봄눈이 온당가요
비에 젖고 바람에 우는 노가다 공염불에
섯다나 한 판 놀지라,
동치기로 일당 묵기요

이런 날
한 코 뚫어야 언 몸이 풀릴텐디
성님들, 안 그래요 내 말에 숨 가쁘지라
눈으론 모른 척 해도 입질이 돋을거구마

젊을 땐 돈 읎이도 몸으로 때웠는디
일 년에 한 번 볼똥 밑구녕도 모르는 서방
낮술에 씰룩댄다고 기다리기나 허겄소

난(蘭)

서른 살 노총각 시절 '花下漫筆'* 을 읽는데 난은
일경일화요 혜란 건란 초란이 있으니
  그것이 총각 태몽인 줄 그때는 까마득했지

다음 날 망설임 없이 내 장가를 들어서 줄줄이
딸 셋 낳아 천하일품 되라고
  청자에 고이 새긴 후 호적에 올렸거니

큰 것은 이름하여 세상에서 제일 예쁘고 둘째는
가라사대 하늘 아래 최고가 되고
  셋째는 나위도 없이 땅 위에 절륜 되라고

남자가 출세하려면 서책을 멀리하고 난 보는 눈
을 키워 순실란 한 촉 틔우면
  그 변종 중투 일색이 세기의 명품 되리니

* 문일평(文一平)의 산문에서 따옴

제빵사 문씨가 따뜻한 빵을 구울 때

된다고 말하세요
이 세상 무엇이든
맛이든 모양이든 입맛으로 구워주세요
증오와 보복이 없는 우리들 성찬으로요

정치적 레토릭은 되도록 금하시되
반목과 모순의 뼈도 절대로 섞지 마시고
사랑과 용서의 살로 고명을 넣어주세요

우리들
너무 오래 짓밟히며 살았잖아요
혁명은 정말 싫어요 빛도 향도 없었거든요
초심을 잃지 마세요, 이 촛불 너무 어두워요

안티라노사우루스

여섯 살 유치원생이 공룡축제에 갔다 왔다
공룡이름이 뭐였니?
아빠가 물었더니
이 세상 가장 무서운
티라노사우루스, 육식 공룡

열흘 후 그 아빠가 복습하듯 다시 묻자
훗날에 태어날 거야
우리 안티라노사우루스*
아이는 내일을 여는 오늘나라의 눈과 귀

사람 있고 염치없는 아수라의 세상에
또 한 번 실수를 범한 이 땅 오늘 여기에
기어코 다시 와야 할
먼 후생대 우리 친구

* 안티라노사우루스 : 티라노사우루스의 반대 개념으로 아이가 만들어 낸 조어

고라니 평전

— 혼외정사 불륜스님 유홍준

길눈 먼 생초 고라니 돌아갈 곳을 잃어 일주문 대웅전 없는
절 한 채 지었으니 바라밀 생육바라밀 혼외정사 불륜스님

영양 산판 벌목 장정이 공단을 헤매다가 제지공장 막노동에
소모품 실탄되어 제의에 몸 바쳤으니 청춘 펄럭 만장도 울컥

제지공장 병든 고라니 정신병원 보호자 되어 한 발은 이승
에 또 한 발 저승에 걸쳐 북천에 까마귀 불러 복점이나 물어
볼까

진주시 망경동에 볕 안 드는 방을 빌려 경전도 한 권 없고
자격증도 아예 없이 먹지도 입지도 못 할 시경만 외고 있다

여신도 몇 명 더불어 용맹정진 해 본들 외로운 목탁소리 저
혼자 경을 외울 때 빈손에 바람만 운다 바라승아재 모지사바
하

고독 삼화음

외로운 사람들이 그리움 한 채 짓는다
오지도 않을 사람을 기다리는 빈집에서
어둠을 붉게 태우며 잠 못 든 달이 산다
억새밭 둥지 털고 장끼가 떠나간 뒤로
쌓이고 맺힌 것들 꼭 한만은 아니어도
금이 간 질그릇 하나 일천 강 달래고 있다
울음을 우는 법과 그 울음 참는 법을
눈물을 오래 가두어 물무늬 이는 것도
궁형을 견딘 사람만 달이 지는 까닭을 안다
오늘까지 걸어온 건 밥심의 힘이 아니라
가지 끝 흔드는 바람 앙다물고 쳐죽이며
퇴행성 통증을 앓는 이 기다림 너는 아느냐

시월 상달

대평리 저 한들에 가을볕 도타운 날

얼굴 든 천리 하늘에 구름 한 점 없는 날

바람도 제자리 찾아 입다물고 엎드린다

볍씨 하나 품어 와서 서른 낟알 여무는 날

공치사 마다하고 손사래 젓는 날

구절초 봉오리마다 아침 이슬 영롱하다

항아리 달 항아리 휘영청 떠오른 날

메나리 한 가락에 뼈마디 다 녹는 날

단군님 오시다 말고 뒷짐 지고 웃으신다

땅 위에 발 딛지 마라 티 앉을라 말 묻을라

1+1=∞

늑대의 울음이 광야를 휘몰아 칠 때

죽은 소나무가 칡넝쿨을 업어 키운다

살아서 한 번 죽는 건 죽어서 두 번 사는 것

시계를 바꿔 차고 불꽃이 된 의사 윤봉길

빗나간 육탄 한 발로 세상에 불을 질렀다

시간은 멈추지 않고 역사는 죽어서 산다

다음 역

가을이 지나고 나면 그 다음 겨울이 온다

얼어서 함께 죽어도

죽어서 다시 살자던

다음 역

그 다음 역에

너는 내리고 나는 떠나고

섬진강

하동에서 이름 난 것들, 하동 배 하동 녹차
요즘에 더 출세한 평사리 대봉감도
밑구멍 또깡또깡해 매화똥 누는 줄 안다

팔십 리 섬진강을 혼자 퍼마신 정두수*는
서울까지 끌고 가서 그 강물에 목젖 잣더니
노랫말 구절양장에 삼천리를 다 울렸다

섬진강을 마셨거든 하동을 떠나라, 어서
하동을 떠나거든 세상 한 번 들었다 놓고
허투루 디딘 발자국 삐뚜루 걷진 마라

* 정두수 : 유행가 작사가로 활동하며 〈덕수궁 돌담길〉 외 2500여곡을 지음

2018 한국호

이 배는 어디서 온 수송선인가요, 영국입니까
선장은 누구신가요
윌리엄인가요 셱스피어인가요
아니요, 케인즈라는 20세기 초 수출업자지요

신고 온 화물은요 구호물자입니까, 아니면
제국의 권력을 위한 낙수 한 톨인가요
저임금 노동자들의 긴급 수혈 알부민입니까

이 배는 어디로 떠날 수출선인가요, 베네주엘라
선장은 누구신가요, 김인가요 장인가요
할 말은 참 많지만요
뚜, 뱃고동만 울립니다

생명보험 약정서

아내가 점점 무섭다 안방 시선이 두렵다 비타
면 붉은 알약 새하얀 혈압강하제 심장을 명중시
키는 산탄 총알이 날아온다

양파즙 호박중탕이 쑥물보다 쓴 까닭은 어명
을 받들고 있는 사약일지도 모른다 눈 맞춘 에
미와 딸의 입맞춤 다가오는 소리

혈압이 무섭지 않다 딸 아들을 못 믿겠다 뇌
졸중 심장병보다 상황버섯 공양보다 육년근 홍
삼 효심도 치매보다 무섭다

담배를 꼬나 물고 커피를 씹어 삼키다 장롱
속 계약서 한 장 피버린 음모를 본다 사자의 칙
명을 받든 내 주검의 서약서를

비봉산 홍매화가 메아리처럼

비봉산 홍매화가 메아리처럼 달려온다 산 넘고 돌
다리 건너 맨발 설레며 닿으면
동안거 끝낸 멧새도 냉이 달래도 눈 부빈다

대룡골 안골 뒷골 여시골 사람들아, 지난일 옷고
름 풀고 당신을 안고 싶다
모른 척 그냥 모른 척 눈시울 붉혀 눈감아다오

먼 천리 십릿길 오듯 그대 속살 휘몰아 올 때 실실
이 내리는 봄비 감은 눈 귀를 열면
평양골 한양골 사람 올올이 타래도 풀어

만가

오늘은 객사한 지렁이의 장례식이다
마음 터 오고가던 친구도 하나 없이
일개미 상두꾼들만 오릿길을 출렁인다
거칠고 메마른 땅 써레질해 불 지피며
어중이 떠중이들 명줄 이어 싹 틔웠는데
부고장 받기도 전에 목청 닫고 손사래 친다
바람아 펄럭여라, 만장을 높이 세워라
마지막 이 사랑이 오직 한 길 첫사랑이던
광야로 내몰린 주검 흙으로 태어나리
평생을 경작하다 한 몸 접고 떠나는 날
기우뚱 산이 절며 울음보 도열해 선 채
불개미 선소리꾼들 미산령을 밀고 간다

백두산

내 아들의 그 아들이
눈을 뜨고 보리라
흙 한 줌 물 한 방울 바위 틈 숨소리까지
귀 열고 들어보리라
천지폭포 붉은 숨결을

동으로 두만강이 서로는 압록강이
물길을 바꾸지 않고 천년 구비 흐르는 까닭
칼로는 자를 수 없는
천성으로 다할 수 없는

들짐승 날짐승이 새끼 품어 꿈꾸는 여기
치사랑 내리사랑이 눈물보다 푸르른 여기
아들의 아들딸들이
손 맞잡고 올 여기

변신 · 카프카에게

캄캄한 밤이었다 느닷없이 구금됐다
왜 그러냐 물었더니 이유는 없다고 했다
아무런 잘못도 없이 이게 무슨 행패인가
당신들 혹시 깡패냐 공갈 협박단이냐
우리는 초법이며 법 위에 법이 있다
그러면 여론몰이냐 보이지 않는 손이냐
당신 참 순진하구나 그것이 문제였어
털어도 먼지 안 나는 그것이 문제라니까
적폐의 청산을 위해 전생까지 털 수 있다고
당신은 청춘도 없고 불륜도 없더라니까
적금도 잔고도 없는 빈털뱅이 사내야
못 먹고 못 가진 것이 죄라는 걸 알아야 해
당신은 꿈을 꾸고 뜬구름을 먹은적 있지
그레고르와 친구였지 잠쟈와 술도 마시고
봄비에 젖기도 하고 달빛에 거닐기도 했군

오늘

어제가 생각했다
오늘이란 놈 참 괘씸하다고
신발도 신지 않고 잘 있으란 인사도 없이
내일을 몽땅 삥땅쳐 줄행랑을 놓다니

일 없어 비틀대다 눈치코치 살피던 놈
지금을 도살해서 살코기는 다 버리고
소창과 대창 똥창에 뼈다귀만 먹는구나

어제를 그냥 지나쳐 오늘은 오지 않는다
내 눈빛 그렁그렁 쪽팔리게 목놓아 울면
내일이 모레 더불어
오기로 했다, 약속했다

지심도 동백

용접 명장 배씨가 장승포를 떠나기 전
지심도에 들러서 두어 시간 앉았다 갔다
무심코 그냥 앉아도 줄담배만 기가 막혔다
삼년을 품어 기른 마지막 배를 띄우고
옥포만 빈 도크에 파돗살 몸져누우면
떠날 땐 이별주 없이 외상값만 덤으로 남고
갓 스물 바람 따라 제 발로 온 동백 한 잎
밀물 들면 썰물 가는 거 삼십년 눈물로 익혀
간다고 울지도 않고 온다고 피지 않는다
얼개를 질끈 조이고 군살 빼는 저 골리앗*
저게 내 기둥서방이오, 동네방네 입소문 실어
이제는 말하고 싶다 떨기째 바치고 싶다

* 골리앗 : 조선소에 설치된 대형 크레인

집행을 유예받다

누군가 걱정하기에 폐암 5기라 말했지요
술 담배 다 끊으면 인생 막장에 다다랐으나
선고가 진행 중이니 두 주먹을 비우라네요

한 송이 붉은 동백 피다 말고 머물러 있고
매화도 다녀갔지만 다행히 스치긴해도
적의를 품은 동행에 뒤통수를 조심하라는데

사는 게
살아 온 길이 왼새끼만 꼬았다는데
외톨이 옹고집이 흘러간 시간들이…
이것들 떠나고 나니 울음보만 낭자하네요

삽 하나

삽 하나 깊게 꽂고 땅을 향해 기도를 한다
내 맘을 니는 알꺼여,
나도 니 순정을 알제
떠돌이 낮달 하나도 발걸음 멈추고 섰다

김 매고 골을 타서 씨 심어 기른 자식
일흔의 여울목에 핏줄이 불끈해도
니가 내 진짜 새끼여,
멀리는 떠나지 말어

다랭이 경전을 펼쳐 다 못 읽은 이 하루를
뼈마디 저미도록 지는 해에 또 절하며
흙 속에 깊게 꽂는다
그대의 몸종이 되려

새미골 달빛

빈 텃밭 토란잎에 달빛 드는 어스름 밤 우찌
살꼬 우찌 살꼬 지집 가고 자슥 죽고
　목이 쉰 산비들기가 정붙이를 부르는 밤에

무논에 개구리들 언청이로 떼창 놓으면 울음
한 켜 고요 한 켜 괴괴히 쌓이는 시름
　눈물만 혼자 눈물만 외눈배기 두 줄기로

우물이 다 말라도 떠난 사람 오지 않는데 밤
마다 찾아 온 달빛 딸꾹질만 추스르네
　천년도 보고픈 사람 하루만 더 보고픈 사람

명창과 고수

오늘도 할부지가
가현이 이놈, 하고 부르면
그때마다 메아리가 할부지 이놈, 외치며
장구와 북으로 앉아 너는 명창 나는 고수가 된다

살다가 까무라쳐도 이런 욕 한 그릇 먹고
아무리 배불러도 남 줄 것 하나도 없다
콩주먹 꼭 말아쥐고
알밤도 먹여다오

입술을 쫑긋 오므려 대노하듯 일갈을 놓고
망경산 뻐꾸기 울음 비봉산이 받아넘기며
신구식 떼창을 놓는
가현이 이놈 … 할부지 이놈

김순애 여사

올해 일흔 수남이는 어쩌면 일흔 하나다
아들이 애틋해서 남(男)자를 달았다가
이듬해 면사무소에서 순애로 태어났다

먹물 든 삼촌이 신식 개명한 출생신고서
정월 열이레 생일도 시월 보름 늦깎이 되어
일학년 입학통지서도 한 해를 건너뛰고

무구한 이름만큼 땅심도 흐벅져서
사남매 오달지게 보름달로 키웠으니
순애씨, 건강하세요 수남이 몫도 덤으로

첫눈맞이

소나무 가지마다 첫눈이 내려앉네 앉아도
쌓이지 않고 바람에 흩날지 않고 선학산
목덜미 위에 고요가 덧쌓이네

새벽 달 길 멈추고 뒤꿈치 젖어 서네 그
위에 시간이 앉아 시간을 쌓고 있네 틈새를
다투지 않고 서로를 붙들고 있네

그 무슨 눈물같이 설움은 아닌 것 같은
산과 산 하늘과 땅의 살피를 지우고 있네

땅 위에 발 딛지 마라 티 앉을라 말 묻을라

제5부

청춘엔 깨지고 터질 실패의 자유가 있다

비상을 위하여

천 리를 날아갈 새는
둥지를 틀지 않는다

날 수 있다
날아야 한다
불합격 날개를 털고

노량진
9급 일행새
불패의 내일을 쓴다

꿈, 떡볶이

척 보면 한 눈에 알지,
일행직 지원자구먼
통성명 할 것 없이 열 받을 땐 찾아오라고
날 보면 맥박이 뛰고 얼었던 피가 돌 거야

욜로나 워라밸 또는 비트코인 치맥도 잊고
언제나 최선이었어, 그런 널 탓하지 마
어제와 다른 오늘이 네가 만들 피조물이야

구합팔락(九合八落)*,
이 천기는 스스로 깨치는 거야
승자는 근성을 먹고 근성은 승자가 되지
니가 널 용서 못할 땐 그 허기로 맞서는 거야

*구합팔락 : 평균 90점 이상은 합격하고 그 미만은 떨어진다는
        공시촌의 경험적 통계

컵밥 3000 오디세이아

노량진 입구에 컵밥집이 도열해 있다
여기는 마이너 천국, 메이저는 떠나고
쌩기초 초짜들끼리 리그 없이 겨루는 일합

3분에 해치우는 게 컵밥의 특명이다
빠르고 싸고 맛있는 레시피를 개발하라
청춘은 맨발이라서 서서 먹는 간편 특식

합격해도 삼천 원 떨어져도 삼천 원
10급에서 11급 된 삼수생도 삼천 원
컵밥에 공짜는 없다 절망은 팔지 않는다

유산으로 내리 받을 보증수표 한 장 없이
부도날 신분을 감출 약속어음 더욱 없이
정실과 밀실은 잊어, 낙하산 청탁도 버려

껍데기 발라내고 무릎뼈로 걸어오라
흙수저 탓하지 말고 금수저 욕하지 않는
청춘엔 깨지고 터질 실패의 자유가 있다

공시생

공시생 24시는 떨이로 팔 시간도 없다
잘게 썰면 길어지고
길게 썰면 늘어날까
새벽달 잠재워 놓고 귀로 읽고 코로 외운다

점수는 절대치라도
합격은 상대값이다
덜 여문 씨를 찾아 쌩기초 밤을 새워도
옆구리 터진 과락은 속내를 앓고 있다

일행직 5종 세트에
프리패스 119는 없다
공시촌 사계절엔 딱 두 번 꽃이 필 뿐
불합격 시뻘건 국물 일 년 내내 목메이는 밤

혼자 쓰고 혼자 읽는 편지

할무이, 지금쯤 고추밭이 참 붉지예
올 땡볕 가뭄 속에 참깨 농사 풍년이란 말
내 새끼 꼭 붙으라고 은근짜로 애둘렀지예
올 봄에 떨어져서 몸치 한 번 했지만도
천지산, 할무이 손자 두 번 실패는 없심더
천왕봉 보고 큰 놈이 기죽고 살겠심니꺼
중 3때 한 달 넘게 엄마 아부지 보고 싶어
감기 몸살 꾀병할 때 알고도 모른척 한 거
압니더, 진짜 고맙심더, 고뿔 두 번 끝났심더
나무에 둥지 틀라모 뿌리가 튼튼해야제
이놈 솔씨 언제 커서 정자 짓겠노 하던 말
인자사 귀가 뚫립니더 불합격이 명약이데예
그런데 할무이예, 내 비밀 아십니꺼
쥐도 새도 모르는 그 중에 첫번째가
할무이 무동 태우고 동네 한 바퀴 도는 깁니더

밀레니얼

노량진 낮하늘에 10급 떨거지 총총하다
콩깍지 형제 같은 함께 갈 맞수끼리
허공에 외줄을 타고 9급 합격 별을 딴다

빛나지 못할 별은 하늘밑에 없다며
눈 먼 땅 새로 밝힐 밀레니얼이 여기 왔다
시간을 갈고 또 깎아 등뼈를 곧추 세운다

공시생은 10급이고 떨어지면 11급의 나락
울지 말자, 탓하지 말자, 나 지금 서러워 말자
우리는 시대의 물결
딜레마가 아니다

3층 석탑 쌓기

진실이 허명으로 우리를 기만하고
절망의 앞잡이가 뒤통수를 가격해도
우리는 세뇌되지 않는 새뚝이의* 길을 연다

어제는 정을 들고 바위산을 찾아 헤매고
오늘은 침묵을 쪼아 모난 돌을 다듬지만
우리는 N포세대라고 새기지 않을 것이다

맨 먼저 나를 다져 기단을 반듯이 놓자
그 위에 뜻을 세우고 도전의 머릿돌 올려
궁극은 이상에 있다
멀리 보고 높게 나는

*새뚝이 : 새로 판을 짜는 신인으로서 기존의 가치나 제도에 안주하지
않는 사람, 곧 혁신과 창조를 일컫는다

호모 에듀스파르타쿠스

나는 꼭 합격한다 고로 나는 존재한다*
열에 하나 겨우 살고 아홉은 무정란이니
안모닝 문모닝 말고 취업 파이나 키워라

미래텔 고시원에 맨주먹 깡들 모여
오늘을 불러 앉혀 엄지로 맹약을 한다
빌붙어 울지 말자며 따리꾼은 되지 말자며

한 평짜리 천국에도 신들이 다녀간 흔적
벽에도 천장에도 피닳는 문신처럼
그들이 새기신 어록
"하면 된다, 포기는 없다"

*데카르트의 어록을 패러디함

울보 컵라면

시간은 기다리지 않는다, 그가 누구든
공시생은 생각하지 않는 갈대, 컵라면처럼
세상은 눈물이 많아 맵고 짜도 후루룩 그냥

씹지 않고 뭐든지
그렇지, 후루룩 그냥,
알려고 들지 말고 모르면 삼키는 거야
무수저 탈출을 위해 헬조선도 후루룩 그냥

외롭고 그리운 건 언제나 실체가 없어
컵라면, 반찬 없이도 앉거나 혼자 서서
모르면 외우고 찍어
컵라면, 후루룩 그냥

넘어지기 연습

만양로 14나길 한 평짜리 고시원에서
일어서기 위해서 넘어지는 연습을 한다
불합격 발목을 잡고 뒤집기로 맞장을 뜬다

원칙은 공정할수록 색없이 비정하다
일어나는 사람보다 넘어지는 사람이 많다
성공은 실패에 있다, 걱정 말자, 우린 잘났다

실패하지 않으려고 흔들리는 연습을 한다
흔들리지 않으려고 실수하는 연습을 한다
넘어져 다시 일어선 그곳이 네 자리다

미리 받은 합격통지서

오늘은 어무이하고 단둘이만 만났네예
조금 전 꿈속에서 합격통지서를 받았는데
꿈보다 먼저 왔심더, 맨 먼저 보여줄라꼬
작년에 불합격 먹고 재수를 하지만도
떨어질 줄 미리 알고 막일로 준비했응께
돈 걱정 하지 마이소, 통장은 손도 안 탓심더
어무이, 내 고백에 실망하지 마이소
고단한 세 끼 밥에 한눈은 안 팔낍니더
내 안에 내가 있는 거 인자사 찾았응께요
스물 다섯 물오른 사내 겁날 거 하나 없심더
외롭고 그리운 것 쯤 참아낼 수 있고말고예
내 삶이 도전이라카모 지금이 시작입니더

일타강사의 합격 비결

컵밥은
간식이 아닌 노량진 정식이다
길가에 선채로 먹는 신 노숙 식사법이다
강의실 맨 앞자리는 컵밥이 보장한다

합격은
책과 시간을 한 데 넣어 비비고
불합격은 밥과 반찬을 따로 놓고 먹는다
한 번에 쓱싹 비벼서 단숨에 해치워라

학원은
학문이 아닌 외우기를 하는 곳이다
모르면 외워라, 외워야 찍을 수 있다
앉아서 밥 먹는 놈은 개꿈이나 실컷 먹어라

역사 강의 총론

1.
사농공상(士農工商)의 세계를
배웠느냐, 깨달았느냐
그래도 가겠느냐, 내 발 밑에 엎드려 봐라
저 하늘 첨탑을 향해 널 딛고 올라야겠다

물 맑은 상류엔 관(官)이 있고 사(士)가 있고
그곳엔 사시사철 무릉도원 정(政)이 있는데
맨 위에 성층이 있어 비선이 버티고 살지

2.
남의 것 훔쳐 먹는 도둑님이 계시는데요
되는 걸 안 되게 하는 개새끼님도 계시다고요
죽은 놈 불알 뒤지는 빈대 씹은 보셨는지요

씨 뿌리고 나무 심는 민생님들 사시는 땅에
날마다 흘레만 하는 씨팔님도 계시는 이 곳
9급에
헛거미 잡힌
우리 님들 어쩝니까요

노량진 별곡

너 지금 도망치거나 되돌아서지 말아라

너 지금 거기 선채로 아득하고 막막하거라

너 지금 낭떠러지에서 한 발 더 나아가라

저기 저 길고양이가 어둠을 뒤지고 있다

저기 저 길 잃은 길들 거리를 헤매고 있다

저기 저 피지 못한 봄 겨울로 떠나고 있다

오늘 너 바람이여 먼 내일도 바람이어라

오늘 너 벼린 칼날로 가슴을 풀어헤쳐라

오늘 너 사랑한다는 말 아직은 아껴두어라

그래서 그런데 그러나

나무는 스무 해면 다 크네 성목이 되네
사람들은 스무 살을 어리다며 내려다보네
가진 것 하나 없다고 빈손이라 핀잔만 하네
나무는 열매를 달고 그늘을 만들지만
너무 쉽게 너무 크게 일가를 이루지만
내 사랑 아직 어려서 둥지에 갇혀 산다네
구름이 천왕봉 너머 하늘로 흘러갈 때
왜 살고 어떻게 살며 무엇으로 사는지
내 심장 푸른 적혈구 내 안의 나를 키우네
강물은 흘러가도 역사는 다시 쓰는 것
가장 빛나는 별은 아직 발견되지 않았다는데*
9급에 합격한 뒤에 1급 농꾼을 꿈꾸는 별

*나짐 히크메트(Nazim Hikmet)의 시 『아직 발견되지 않은 별』에서 따옴

청춘에게

어떻게 가려느냐 저 멀고 아득한 길을

저 높고 험한 산을, 저 깊은 낭떠러지를

꽃대궁 다만 하나에 천둥 벼락 캄캄한 밤에

세상에 힘센 자는 잊는 자일 것이나

세상의 약한 자는 잊히는 자일 것이나

이 세상 소중한 것은 가지지 못한 시간

바람과 눈보라와 어둔 밤이 길을 막으면

울지 말고 흔들려라 기다려라 그리워하라

어찌 다 말하려느냐 빈주먹의 오늘을

오랜 변방에서 불러보는
생의 역설적 희망

— 최영효의 근작들

유성호(문학평론가, 한양대학교 국문과 교수)

1. 말의 진정한 의미에서의 현대시조

우리 시대는 활자보다는 영상이 주도하는 다매체 시대이다. 이러한 시대에, 오랫동안 활자 양식의 정상에 서 있던 '문학'은 이제 인생론적 가치의 중요성을 알려주는 '남은 자'들의 목소리를 힘겹게 증언하고 있다. 그 가운데 서정시는 이러한 주변성과 외곽성을 한껏 자임하면서, 탄탄대로나 아스팔트가 아닌 숲속 오솔길의 숨쉴 만함을 노래해간다. 서정시가 경험적 한계를 넘어서면서 심미적 지속성을 가질 수 있는 것이 구체적 경험을 초월하는 형식과 결합하는 순간이라면, 그 가운데서도 '시조(時調)'가 숲속 오솔길에서 그려가는 경험과 형식의 결속 과정은 앞으로도 우리 시대의 중요한 문학적 자산이 되어줄 것이다.

우리는 이러한 시조의 특성을 주체와 사물 사이의 간극을 좁혀가는 '동일성' 개념으로 설명할 수도 있겠지만, 풍경과 마음을 밀도 있게 담아낸 서정적 형상을 심미적 결정(結晶)으로 새겨가는 완미한 정형 양식으로 보아도 좋을 것이다. 그만큼 우리 시대의 시조는 정형의 울타리 안에 담긴 인간의 원형적이고 미분화된 정서를 형상화하면서, 그리고 주체와 사물 사이의 균열 양상을 포괄해가는 자유시형과 스스로를 구별하면서, 사물들의 '충만한 현재형'을 구상화하는 데 그 존재 의의를 두고 있다.

우리가 읽게 될 최영효의 신작 시조집 『컵밥 3000 오디세이아』(작가, 2018)는, 우리 시조시단에서 가장 활력 있는 작품들을 써온 시인의 미학적 극점이 구현된 결실이라고 할 수 있다. 그는 우리가 살아가는 현대의 속성을 탐색하는 방법론으로 내면, 풍경, 언어에 모두 집중적인 탐구열을 불어넣어 자신의 시조로 하여금 동시대의 첨예한 산물이 되게끔 하고 있다. 물론 그의 시조는 사물들의 충만한 현재형을 기저(基底)로 삼는 원형적 사유에 크게 빚지고 있다는 점에서 정형 양식으로서의 위의(威儀)를 한껏 드러내고 있다. 그 점에서 최영효의 작품은, 말의 진정한 의미에서의 '현대시조'의 전형으로 우리에게 다가온다. 이제 그 세계 안으로 한 걸음씩 들어가 보도록 하자.

2. 시간성에 대한 탐색의 결실

최영효 시인은 우리를 둘러싼 구체적 풍경 속에서 자신이 걸어온 시간을 쓸쓸하게 바라보면서 그것을 삶의 또 다른 역동성으로 탈바꿈시키는 언어의 사제(司祭)이다. 그런데 시인이 작품 안에 구성해내는 풍경이나 사물은 감각적 충실성에 의해 사실적으로 재현되기보다는, 오히려 그 배후에 숨겨진 시간을 은유할 때가 훨씬 더 많다. 말하자면 시인의 시선에 포착되는 풍경이나 사물은 공간적 실재로서 존재하는 것이 아니라 시간성에 의해 온전하게 매개되어 있다는 것이다. 그래서인지 사물에 대한 시간적 관심에서 발원하여 그것을 자신이 걸어온 오래된 삶의 형식으로 은유하는 불가피한 과정을 밟고 있는 최영효 시편은, 시인의 특수한 개인사가 겪어온 시간의 적층(積層)을 탐사한 화첩이자, 모든 풍경을 가능케 하는 존재조건으로서의 시간성에 대한 탐색의 미학적 결실이 된다. 먼저 다음 작품들을 읽어보자.

> 오래 산
> 사람은 안다
> 멀리 걸어온 사람만 안다
> 곁눈을 갖지 말아라 앞눈 하나만 가져라
> 뒤돌아 걷지 말아라
> 네 발길이 이정표다
>
> —「길」 전문

> 어떻게 가려느냐 저 멀고 아득한 길을
> 저 높고 험한 산을, 저 깊은 낭떠러지를
> 꽃대궁 다만 하나에 천둥 벼락 캄캄한 밤에
> 세상에 힘센 자는 잊는 자일 것이나
> 세상의 약한 자는 잊히는 자일 것이나
> 이 세상 소중한 것은 가지지 못한 시간
> 바람과 눈보라와 어둔 밤이 길을 막으면
> 울지 말고 흔들려라 기다려라 그리워하라
> 어찌 다 말하려느냐 빈주먹의 오늘을
>
> —「청춘에게」 전문

이 단아한 시편들은 충분하게 정제된 최영효 시조의 형식 미학을 잘 보여준다. 앞의 작품에서 시인은 '길'이라는 익숙한

상징을 빌려, 오래 살아왔고 멀리 걸어온 사람만이 알 수 있는 삶의 진실을 노래한다. 그 진실이란 '곁눈'을 가지지 말고 '앞눈'만 가진 채 뒤돌아 걷지 말라는 권면에 들어 있다. "네 발길이 이정표"라는 단호한 정언 말이다. 그런가 하면 뒤의 작품에서도 시인은 "저 멀고 아득한 길"을 노래한다. 청춘을 향한 권면이 다시 한번 '길'의 상징을 통해 펼쳐진 것이다. 시인은 청춘이야말로 높고 험한 산과 깊은 낭떠러지를 지나 "천둥 벼락 캄캄한 밤"을 걷는 시간이라고 상정한다. 그래서 가장 소중한 것은 "가지지 못한 시간"이며, 바람과 눈보라와 어둔 밤이 '길'을 막을 때라도 충분히 흔들리면서 기다리면서 그리워하면서 "빈주먹의 오늘을" 살아가라고 말한다. 두 작품이 자매편으로 읽히면서, 내용적으로는 생의 이정표를 찾아 '길'을 걷는 이들에 대한 역동적 형상을 부여하고 있고, 형식적으로는 최영효 시학의 선 굵고 단아한 시풍을 엿보게끔 해주고 있다. 이러한 시관(詩觀)은 "먼길도 첫걸음으로 어젯길 오늘 또 간다"(「달팽이」)는 지속성과, "한순간 잃어버린 그 꿈을 잊지 마라"(「방아깨비」)는 다짐과, "넘어져 다시 일어선 그곳이 네 자리"(「넘어지기 연습」)라는 선언을 다 가능하게 하고 있는 것이다.

이처럼 최영효 시인은 근대적 이성에 의해 분화되기 이전의 '원초적 통일성'이 이제는 존재하지 않는다는 인식을 확연하게 가짐으로써, 우리가 걸어야 할 '길'이 만만치 않은 난경과 고통과 험로를 예비하고 있음을 알린다. 단순하게 자연을 긍정하고 지나간 시간을 재현하기보다는, 언제나 축복과 재앙, 기회와 위기의 양면으로 구성된 있는 생의 진실을 그는 노래해간다. 그럼으로써 일상의 팍팍한 기율이 여전히 사물들을 분리시키고 고립시키는 데 저항하면서, 낭만적 충동이나 현실 순응을 동시에 벗어나면서, 결연하고 단호한 '길 위의 시학'을 펼치고 있는 것이다. 이 모든 것이 최영효만의 시간성

탐색의 한 결실인 셈이다.

3. 언어의 고고학을 통한 시원의 형상

  그런가 하면 최영효 시인은 이른바 '언어의 고고학'을 성
취하고 있다. 그동안 토속어를 통한 지역 정서의 표현 그리
고 이른바 구어적(口語的) 미학을 격조 높게 추구해왔던 시인
의 지향은, 이번 시조집에서도 간단치 않은 서정적 울림을 우
리에게 부여해준다. 그에게 시조란 속기(俗氣)를 걷어낸 세계
이며, 읽는 이로 하여금 심혼(心魂)의 울림을 경험케 하는 언
어적 실체인 것이다. 그 점에서 이번 시조집은 오랫동안 개
척하고 축적해왔던 본원적 사유와 언어적 감각이 견고하게
결속해 있는 역동적 화폭이라고 할 수 있다. 다시 한번 우리
는 그동안 그가 그려왔던 시원 지향의 세계를 충일하게 바라
보면서, 영혼의 성숙 과정이기도 했던 지난 시간을 반추해보
게 된다. 우리 시대가 비록 폐허의 시대임에도 불구하고 시
인은 그것을 치유하고자 하는 일관된 의식을 구체화하고 있
는 것이다.

        내 나이 올해 아홉, 흩아홉 말고 구십인데
        오른쪽 허리 골짝에 바람이 들어 왔제
        여게가 유의태처럼 소문난 그집인가 몰라
        할무이, 맞고말고예 명의라고 불이 났심더
        오데가 안 좋은지 말씀만 하시이소
        내사 마 당뇨도 없이 엎어져 물팍을 깼제
        우짜다 그랬노카모 읍내장에 갔다 오다가
        무다이 헛디다가 땅하고 한판 했는데
        졸지에 까무라쳐서 숟가락 놓을뿐했제
        그렇께 무릎 어데가 우찌우찌 편찮니껴

내 올해 아홉이라카제 그렇다고 치매가 있나
밤마다 찌근덕하이 달빛이 들어와 살제
할무이요, 그만 좀 하소 내 번호표 해저뭅니다
자초지종 설명을 해야 온김에 고쳐서 가제
칠십된 우리 아들이 효잔께 데려왔는데
내 아까 당뇨 없다고 너그한테 말 하더나
귀도 잘 들리고 손발도 성하다마는
울 영감 밥상 채릴라모 앉고 서야제, 하모하모

— 「하모하모」 전문

　'하모하모'는 '그래그래'의 뜻을 담은 경남 지역 방언이다. 대체로 말하는 이를 긍정해줌으로써 돈독한 유대를 형성하고자 할 때 주로 쓰인다. 시인은 이 친숙하고도 일상 깊이 들어와 있는 언어를 통해 한 노인의 삶을 집약하고 있다. 생생한 구어체의 대화가 반복되는 이 작품은, "나이 올해 아홉, 홀아홉 말고 구십"인 한 노인이 "오른쪽 허리 골짝에 바람이 들어" 찾아온 소문난 명의와 대화하는 장면으로 시작된다. 어디가 안 좋은지 묻는 말에 할머니는 엎어져 무르팍을 깼으며 졸지에 까무러쳤다는 말씀을 전한다. 그런데 이어서 할머니가 자신은 당뇨도 치매도 없으며 "귀도 잘 들리고 손발도 성하다마는/울 영감 밥상 채릴라모 앉고 서야제, 하모하모" 하면서 엉뚱한 말씀을 하시는 장면이 펼쳐진다. 여기서 '하모하모'는 할머니 스스로 자신의 삶을 긍정하는 역설적 마음의 표현이요, 시인이 이 애틋한 장면을 재(再)긍정하는 마음이 담긴 말이라고 해야 할 것이다. 이러한 구어적 재현 과정은 "누구나 파란만장하지//누구나 우여곡절이 있지"(「파도처럼」)라는 말에 포괄되는 민초(民草)들의 삶이야말로 "순하고 여린 것들이 모질고 독한 것들이"(「쌍것들」) 섞이면서 살아온 아름다운 것임을 함의하는 것이다. '하모하모'는 그러한 생애들에 헌정하는 궁

극적 포용과 언어적 밀착 의지를 담은 것일 터이다. 다음은
어떠한가.

　　땅끝 앞 돌섬 위에 저 소나무 꼴갑 좀 보소 뒤틀려
　휘어져서 어덜 보고 있는감요 지금 니 거기 선 채로
　날 기다리고 있었구마이

　　그냥 칵 죽으면 될 걸 죽지 못해 살고 있지라 이
　뺨 저 뺨 오지게 맞고 막판에 울러 왔지라 사는 게
　끝은 있어도 이유는 없는 게비여

　　끗발이 죽었분디 뭔 일이 됐겄소만 잘못 만난 때는
　있어도 잘못 태어난 사람 없지라 시작은 인자부터요
　그렇게 땅끝인기여

　　　　　　　　　　　　　　　— 「해남」 전문

　이번에는 호남 방언이 쓰였다. 땅끝마을로 불리는 '해남'에
서 들려오는 살가운 입말들은 그 자체로 다양한 삶의 심층(深
層)을 은유하는 듯하다. 땅끝 앞 돌섬 위 뒤틀려 휘어진 소나
무가 자신을 기다리고 있었던 것이라고 화자는 너스레를 떤
다. 그러자 소나무는 죽지 못해 살고 있다면서 "사는 게 끝
은 있어도 이유는 없는" 것임을 말한다. "잘못 만난 때는 있
어도 잘못 태어난 사람"은 없다는 말은 이제부터 이 땅끝에
서 새롭게 시작하라는 전언(傳言)을 던진다. 이러한 소나무와
의 상상적 대화는 마치 "천년도 보고픈 사람 하루만 더 보고
픈 사람"(「새미골 달빛」)처럼, "뿌리째 내어주고 울음조차 삼
키는 것들"(「쌍것들」)처럼, 생의 바닥(bottom)에서 시작되는
역동적이고 가파른 그래서 언제든지 "썰물이 밀물 되고 밀물
이 썰물이 되는"(「사랑도는 사랑도다」) 세월을 표상하고 있다

할 것이다.

그렇게 최영효 시인은 언어의 고고학을 통해 우리가 떠나온 시원의 형상을 복원하려 한다. "경상도 갈강비/전라도 싸락비/강원도 가스랑비/제주도 줌뱅이비/충청도 이시랭이/함경도 싸그랑비"(「가랑비동동」)처럼 말이다. 어쩌면 이러한 노력은 훼손되기 이전의 순수 원형을 담으려는 것이기도 하다. 시인은 이번 시조집에서 이러한 형상들을 구체적 자연 사물 속에서 발견하거나, 그것을 회복 불가능하게 만드는 세상에 대해 비판의 촉수를 던져간다. 따라서 이는 여전히 자연 사물로부터 느끼는 불가항력의 흡인력인 동시에, 삶의 가장 중요한 기율에 대한 본능적 경사(傾斜)를 의미하기도 하는 것이기도 하다.

4. 생의 변방에서 가파른 시간을 꾸려가는 '질경이'들의 삶

원래 '존재'란 하이데거적 문맥에서 보면 본질적이며 근원적인 것, 비밀에 가득찬 형이상학적 동력이자 은폐된 신성이다. 반면 '존재자'는 언어에 의해 현상한 개체적 실재들을 말한다. 하이데거는 존재 망각의 지층에서 존재자들을 일일이 호명함으로써 존재를 복원하고 개진하는 일이 시인의 직능이라고 말한 바 있는데, 최영효의 어떤 시편들은 기억 속의 존재자들을 정성스레 호명함으로써 지층 아득히 묻혀 있는 존재를 상징적으로 재탐사하는 과정을 밟아간다. 차분히 가라앉아 있는 깊은 인생론적 태도가 그러한 과정을 견인하고 있다는 점은 특기할 만한 시인으로서의 외롭고 높고 쓸쓸한 경지가 아닐 수 없을 것이다. 다음 작품을 한번 읽어보자.

　　샛별이 밤을 물려
　　여명을 먹일 때쯤

어제의 닳은 신발이 오늘을 조이고 있다
절망이
이불을 걷고 희망을 깨우는 아침

벽돌을 져 나르고
철근을 다시 조이며
생무지 초짜에서 반장까지 서른 해
봇짐은 싸지 못했다, 죽음보다 무서운 생계

장마는 계속되고 삽자루 망치도 가고
함바집 바람벽에 주련처럼 시린 한 줄
함부로 말아먹지 마라

국밥은 인생이다

— 「국밥」 전문

이 선연한 기억의 형상은 "어제의 닳은 신발"을 신고 "죽음
보다 무서운 생계"를 꾸려온 생애의 실존적 고백을 담고 있
다. "샛별이 밤을 물려/여명을 먹일 때"는 "절망이/이불을 걷
고 희망을 깨우는 아침"이기도 했을 것이다. 그 구체적 세
목은 "벽돌을 져 나르고/철근을 다시 조이며/생무지 초짜에
서 반장까지 서른 해"를 살아온 것이었는데, "함바집 바람벽
에 주련처럼 시린 한 줄"의 생애가 "국밥은 인생"이라는 기억
을 이토록 선명하게 남긴 것이다. 이렇게 시인은 거센 노동으
로 "평생을 경작하다 한 몸 접고 떠나는 날"(「만가」)을 순간적
으로 담아내면서 "뼈마디 저미도록 지는 해에 또 절하며"(「삽
하나」) 살아온 가파른 삶에 한없는 애정의 시선을 던져준다.
그리고 이러한 타자들에 대한 따뜻한 관찰을 통해 "시간을 갈
고 또 깎아 등뼈를 곧추 세운"(「밀레니얼」) 이들의 삶에 흐르

는 결곡한 온기를 잡아낸다. '국밥'에 이어 다음에는 '소주'다.

> 너하고 마주 앉으면 내 언제나 두 사람이다
> 마시고 싶은 사람과 안 마셔야 될 사람이
> 주거니 받거니 하며 잔 하나로 비우는 밤은
>
> 새날이 올 것 같아 첫 잔을 높이 들고
> 잘못 든 길인 것 같아 또 한 잔을 채우면
> 내가 산 오늘이 가고 네가 살 내일이 온다
>
> 너라고 바람 불고 비 오는 날 없었겠느냐
> 독배로 맹독을 씻을 술 한 잔 권하고 싶다
> 날마다 셋이 하나로 역모를 꿈꾸는 밤의
>
> ─「소주와 마주 앉아」 전문

누군가와 마주 앉아 소주를 기울이는 것이 아니라, 소주와 마주 앉아 마치 그것이 "언제나 두 사람"인 것처럼 시인은 생각한다. "새날이 올 것 같아" 첫 잔을 들고 다시 "잘못 든 길인 것 같아" 또 한 잔을 들면 "내가 산 오늘"보다 "네가 살 내일"이 먼저 오는 듯하다. 그러니 시인으로서는 "너라고 바람 불고 비 오는 날 없었겠느냐"라고 스스로 위무하면서 소주와 마주 앉아 경험해온 시간을 톺아올리고 있는 것이다. 이러한 정서는 가령 "너와 함께 살자 하던/함께 너와 죽자 하던"(「미산령」) 연대의 마음이요, "상처는 흉이 아니라 살아갈 계급장"(「깡통에 관한 명상」)이라는 생의 긍정의 마음이 아닐까 한다. 물론 여기서 '소주' 형상은 그 자체로 생의 외곽에서 투명하고도 쓰리게 세상을 비추는 창(窓)과 같은 역할을 하는 것이다.

파지로 명줄 잇던 조복례 할머니가
예순에 여덟부터는 나이도 잊었지만
질긴 게 목숨이라며 서리 밟는 새벽길
이 땅에 빚 없으면 하늘에 죄 있으랴만
나이란 먹을수록 서푼 보증도 못되어
한 달을 눕힌 월세가 요통보다 무겁다
엎어야지, 엎어야지, 이놈 생을 엎어야지
천 번을 벼르고도 손자 녀석 눈을 밟아
애간장 평생 이랑을 갈아엎지 못한다
눈뜨면 북망산도 감으면 꽃길인데
한 수레 파지 값이 단돈 만원을 밑돌아도
관절염 요통도 없는 금수레 오늘을 간다

— 「질경이」 전문

이번에 시인은 "파지로 명줄 잇던 조복례 할머니"를 등장시
킨다. 예순여덟의 할머니는 나이도 잊은 채 언제나 "질긴 게
목숨이라며 서리 밟는 새벽길"을 나선다. '빚'과 '나이'와 '월세'
와 '요통'이 연쇄적으로 할머니의 생을 죄고 있지만, 할머니는
손자가 눈에 밟혀 생을 엎지 못한다. 어쩌면 북망산도 꽃길일
지 모른다고 생각하면서 가난한 '금수레'는 오늘도 '질경이'처
럼 앞으로 나아갈 뿐이다. 할머니의 생애에는 비록 "사는 죄
그 위에는 살아온 죄가"(「산 죄가 살아갈 죄에게」) 더 많을지
도 모르지만, "그 살피 어디쯤에 소리로만 울어 살며/한 번도
날지 못한 새/잊지 말자 우는 새"(「숨비기새」)처럼 살아온 "티
없이 순정한"(「인생학 서론」) 시간이 흐르고 있는 것이다. 그
렇게 최영효 시편에는 생의 변방에서 가파른 시간을 꾸려가
는 '질경이'들의 삶이 '국밥'과 '소주'와 '금수레'의 형상을 덧입
고 등장하고 있다.

결국 우리가 읽고 쓰는 서정시는 엄연한 '시간예술'이다. 한

편 한 편이 모두 시간의 흐름에 의해 완성되는 법이고, 작품을 향수하는 데 시간의 흐름이 동반된다는 측면에서 시간예술로서의 서정시의 속성은 분명해 보인다. 그러나 생각을 바꾸면, 서정시가 시간 자체를 다룬다는 측면에서도 그러한 명명은 얼마든지 가능하다. 서정시를 삶의 순간적 파악에 바탕을 둔 언어예술로 정의한다고 해도 사정은 마찬가지다. 그 순간이란 오랜 시간의 흐름이 온축되어 있는 '충만한 현재형'일 것이다. 최영효 시인의 기억 속에 온축되어 있는 존재자들은 이러한 속성을 통해 읽는 이들로 하여금 외롭고 높고 아득한 차원을 자각하게끔 도와주고 있는 것이다.

5. 외곽에서 불러보는 역설적 희망의 노래

최영효 시인은 시조의 본령인 정형을 충실하게 유지, 확산시키면서 우리 삶의 본질적 형식을 응시하고 그 안에서 삶의 중요로운 비의(秘義)를 발견해가는 시선을 우리에게 보여준다. 다시 말해 그가 그려가는 사물들은 객관적 풍경으로만 존재하는 것이 아니라 주체와 대상이 적극적 관계를 형성하고 관철하는 복합성의 세계를 현상한다. 그 점에서 그의 자기 인식이 대상과의 관계 속에서 그 범위를 넓혀가고, 그의 시선이 타자와 변방을 향하는 것은 어쩌면 필연적일 것이다. 이번 시조집에서 우리가 또 하나 중요하게 보아야 할 것은, 시간의 생태학이 추상적 담론에 머무르지 않고, 매우 구체적인 타자들을 향하고 있다는 점이다. 이러한 세계를 담은 최영효의 시편은, 소리 높여 말하지는 않지만 그 어느 시편들보다도 우리 시대의 예각적 장면들을 증언해준다. 하지만 시인의 시선이 비관적인 것만은 아니다. 오히려 시인은 그 가녀린 힘을 옹호함으로써 연민의 가능성을 적극 실천하고 있다. 다음 장면은 우리 시대의 한 외곽성을 보여주면서, 동시에 삶의 역설적 희망이

라는 끈을 놓지 않는 최영효 시학의 확장성이 단연 돋보이는
대목이 아닐 수 없다.

> 노량진 입구에 컵밥집이 도열해 있다
> 여기는 마이너 천국, 메이저는 떠나고
> 쌩기초 초짜들끼리 리그 없이 겨루는 일합
>
> 3분에 해치우는 게 컵밥의 특명이다
> 빠르고 싸고 맛있는 레시피를 개발하라
> 청춘은 맨발이라서 서서 먹는 간편 특식
>
> 합격해도 삼천 원 떨어져도 삼천 원
> 10급에서 11급 된 삼수생도 삼천 원
> 컵밥에 공짜는 없다 절망은 팔지 않는다
>
> 유산으로 내리 받을 보증수표 한 장 없이
> 부도날 신분을 감출 약속어음 더욱 없이
> 정실과 밀실은 잊어, 낙하산 청탁도 버려
>
> 껍데기 발라내고 무릎 뼈로 걸어오라
> 흙수저 탓하지 말고 금수저 욕하지 않는
> 청춘엔 깨지고 터질 실패의 자유가 있다
>
> ── 「컵밥 3000 오디세이아」 전문

  시조집의 표제작이기도 한 이 작품은, 노량진 지역에서 고
시 준비에 여념이 없는 수험 준비생들을 다루고 있다. 노량진
입구에 도열한 '컵밥집'은 그 자체로 우리 시대의 풍속적 축도
(縮圖)가 아닐 수 없다. 이곳은 그야말로 "마이너 천국"이어서,
"메이저는 떠나고/쌩기초 초짜들끼리 리그 없이 겨루는 일합"

이 늘 있는 곳이다. "청춘은 맨발이라서 서서 먹는 간편 특식"
은 절망을 팔지 않고 오히려 "나는 꼭 합격한다 고로 나는 존
재한다"(「호모 에듀스파르타쿠스」)라는 슬로건으로 독려하는
힘을 가지고 있다. 어쩌면 "흙수저 탓하지 말고 금수저 욕하
지 않는/청춘"이어서 "깨지고 터질 실패의 자유"가 그들에게
는 있지 않은가. 그야말로 "컵밥은/간식이 아닌 노량진 정식"
(「일타강사의 합격 비결」)이며, 비록 "공시생은 생각하지 않는
갈대"(「울보 컵라면」)이고 "날개가 너무 작아서 하늘을 날 수
없는 새"(「새」)일지라도 그 꿈의 역설은 여전히 생생하게 살아
나온다. 여기에 '오디세이아(Odysseia)'라는 제목을 시인이 붙
인 까닭은, 이러한 풍경이 오디세우스의 10년간에 걸친 귀향
모험담을 그린 작품을 연상케 하고 있기 때문일 것이다. 결국
그들은 자신들의 "실패의 자유"를 딛고, 난경(難境)들을 넘으
면서, 자신들이 떠나온 곳으로 귀향할 것이다.

> 너 지금 도망치거나 되돌아서지 말아라
> 너 지금 거기 선 채로 아득하고 막막하거라
> 너 지금 낭떠러지에서 한 발 더 나아가라
> 저기 저 길고양이가 어둠을 뒤지고 있다
> 저기 저 길 잃은 길들 거리를 헤매고 있다
> 저기 저 피지 못한 봄 겨울로 떠나고 있다
> 오늘 너 바람이여 먼 내일도 바람이어라
> 오늘 너 벼린 칼날로 가슴을 풀어헤쳐라
> 오늘 너 사랑한다는 말 아직은 아껴두어라
>
> — 「노량진 별곡」 전문

이제 그들을 향해 부르는 노래 '노량진 별곡'이다. "너 지금
도망치거나 되돌아서지 말아라//너 지금 거기 선 채로 아득하
고 막막하거라//너 지금 낭떠러지에서 한 발 더 나아가라"라

는 전언은 "승자는 근성을 먹고 근성은 승자가"(「꿈, 떡볶이」)
되는 역리(逆理)를 다시 한번 선언하는 대목이다. 나아가 시인
은 "저기 저 길 잃은 길들"과 "저기 저 피지 못한 봄"을 통해,
"먼 내일도 바람"일 청춘들을 향해 "오늘 너 사랑한다는 말 아
직은 아껴두어라"라고 말한다. 그때 비로소 "한 평짜리 천국
에도 신들이 다녀간 흔적"(「호모 에듀스파르타쿠스」)이 생겨
나게 될 것이다. 그렇게 시인은 시조가 가지는 사회적 항체
역할을 독자적 목소리로 생생하게 담아내는 것이다.

이러한 최영효의 작품은 단연 우리 시조시단의 개성적 결실
이라 할 수 있을 것이다. 그는 삶의 주변부에서 살아가는 이
들의 소소하지만 아름답고 고통스러운 이야기를 시조의 뼈대
로 삼으면서, 그 안에 자신만의 따뜻한 연대 감각을 얹어 매
우 이채로운 세계를 보여준다. 우리는 어두운 현실에 맞서면
서도 깊은 사랑과 연민의 시선을 보여주는, 그리고 한없는 그
리움으로 근원에 대한 통찰을 깊게 해가는 최영효의 시편을
통해, 우리 시조의 외따로운 열정을 선명하게 경험하게 되는
것이다. 아닌 게 아니라 우리는 인류가 공들여 축적해왔던 가
치들이 여지없이 폐기되는 시대에 살고 있다. 이러한 분위기
에 대응하여 새로운 대안적 실천을 상상적으로 마련하면서,
생명을 억압하는 현실에 대해 비판적 목소리를 발하는 최영
효 시조는 그 점에서 음미할 만한 것이 아닐 수 없다. 이처럼
최영효 시편은 우리 시대에 대해 묵시록적 비판을 보임과 동
시에, 시적 알레고리를 통해 우리가 회복해야 할 궁극적 가치
를 암시하는 적공을 일관되게 보여준다. 그것은 기억을 통한
상상적인 것이기도 하지만, 인간의 사유가 닿을 수 있는 매우
근원적인 것이기도 하다. 그렇게 시인이 외곽에서 부르는 역
설적 희망의 노래는 단연 우리 시대의 시적 현재형으로 다가
오는 것이다.

6. 최영효 시학의 정점이자 새로운 시작

우리의 유일한 정형 양식인 시조는 우리 시대에도 연면한 생명력을 유지하면서 그 저변을 확대해가고 있다. 견고한 생명력과 폭 넓은 갱신 가능성을 가지고 있는 현대시조는, 그래서 우리 민족이 보유하고 있는 가장 고유하고도 독자적 양식이라고 할 수 있다. 이는 아마도 시조가 우리의 보편적 성정(性情)이나 정서를 가장 잘 담아낼 수 있는 장르적 특성들을 내포하고 있기 때문일 것이다. 물론 고시조를 지나 현대시조로 그 토양을 옮기면서 시조 양식의 특성들은 많은 변화를 치를 수밖에 없었다. 현대시조는 현대인의 복합적인 정서와 인식을 담아내야 했기 때문이다. 그렇게 현대시조는 오랜 세월을 축적하면서 현대인의 보편적 정서를 담아내는 충분한 미학적 그릇의 역할을 해왔던 것이다.

최영효 시인의 존재는 이러한 현대시조의 맥락과 자장에서 매우 소중하고 우뚝하다. 그는 "먼 내일 우리가 살아/폭풍이 되고 천둥이 되자"(「10년 후 – 나의 어린 신부에게」)라는 말을 통해 자신의 시조가 우리 시조시단의 폭풍과 천둥이 될 것임을 우리로 하여금 예감게 해주고 있다. 그만큼 이번 시조집에는 울음과 통증을 가라앉힌 그만의 역동성이 있고, 밝고 아름답게 번져가는 은은한 서정이 있고, 융융하기 그지없는 최영효 시학의 언어적 극점이 농울치고 있다. 이제 그가 부른 오랜 변방의 노래 곧 '폭풍'과 '천둥'을 넘어 역설적 희망에 가 닿은 노래는, 최영효 시학으로 하여금 다시 한번 미학적 정점이자 새로운 시작을 가능하게 해줄 것이다. 그리고 그는 자신만의 '길 위의 시학'을 통해 한국 시조시단의 성층(成層)을 더욱 두텁게 해갈 것이다.

이 도서의 국립중앙도서관 출판시도서목록(CIP)은 e-CIP 홈페이지
(http://www.nl.go.kr/ecip)에서 이용하실 수 있습니다.
(CIP 제어번호 : CIP2018038063)

컵밥 3000 오디세이아

2018년 11월 27일 초판 1쇄 인쇄
2018년 12월 5일 초판 1쇄 발행

지은이 | 최영효
펴낸이 | 孫貞順
펴낸곳 | 도서출판 작가
      (03761) 서울 서대문구 북아현로 6길 50
      전화 | 02)365-8111~2 팩스 | 02)365-8110
      이메일 | morebook@naver.com
      홈페이지 | www.morebook.co.kr
      등록번호 | 제13-630호(2000. 2. 9.)

편집 | 손희 설재원
디자인 | 전경아
영업 | 손원대
관리 | 이용승

ⓒ최영효
ISBN 978-89-94815-89-3 03810

값 10,000원